SER
O NO SER...
UNA
MANZANA

SHINSUKE YOSHITAKE

LIBROS DEL ZORRO ROJO

Un día, al volver del colegio...

¡Oh! ¿Qué es eso?

En la mesa había una manzana.

Pero... ¿Y si no fuera una manzana?

Quizá sea una cereza gigante.

O esté rellena de mermelada de uva.

Quizá sea un ovillo de piel de manzana.

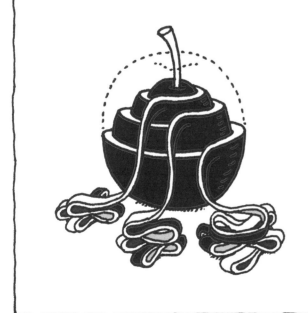

O una naranja con máscara.

Quizá sea un pez rojo hecho una bola.

O una manzana mecánica, llena de dispositivos.

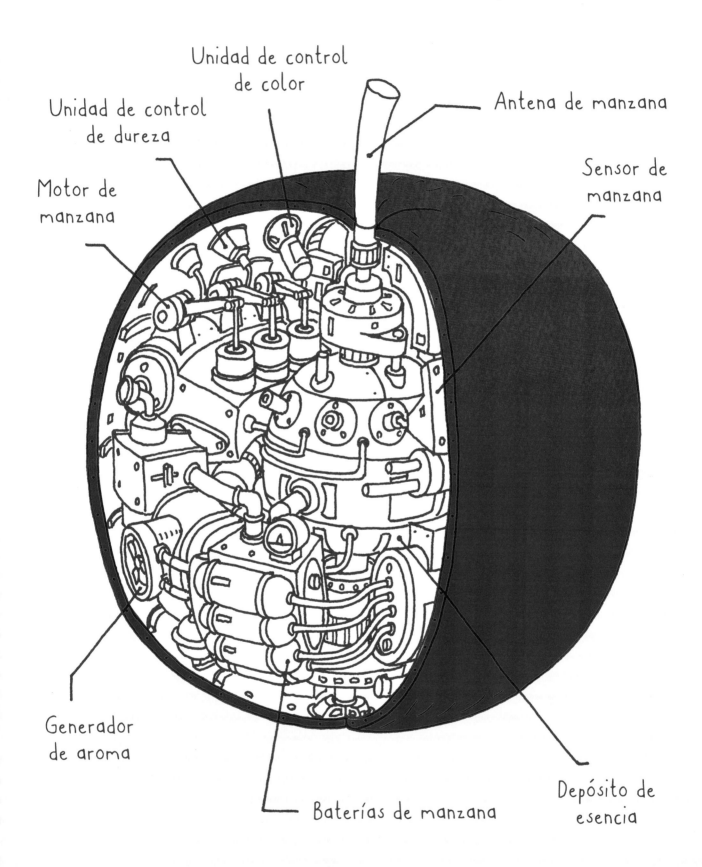

Unidad de control
de color

Unidad de control
de dureza

Antena de manzana

Sensor de
manzana

Motor de
manzana

Generador
de aroma

Depósito de
esencia

Baterías de manzana

Quizá sea un huevo raro.

Y cuando eclosione y me vea, pensará que soy su mamá.

Con algunos cuidados, podría convertirse en una casa.

Primer día.

Una semana después.

Al cabo de un mes.

Tres meses más tarde...

Yo podría mordisquear las paredes
para construir puertas y ventanas.

Podría llevar un peinado o un sombrero.

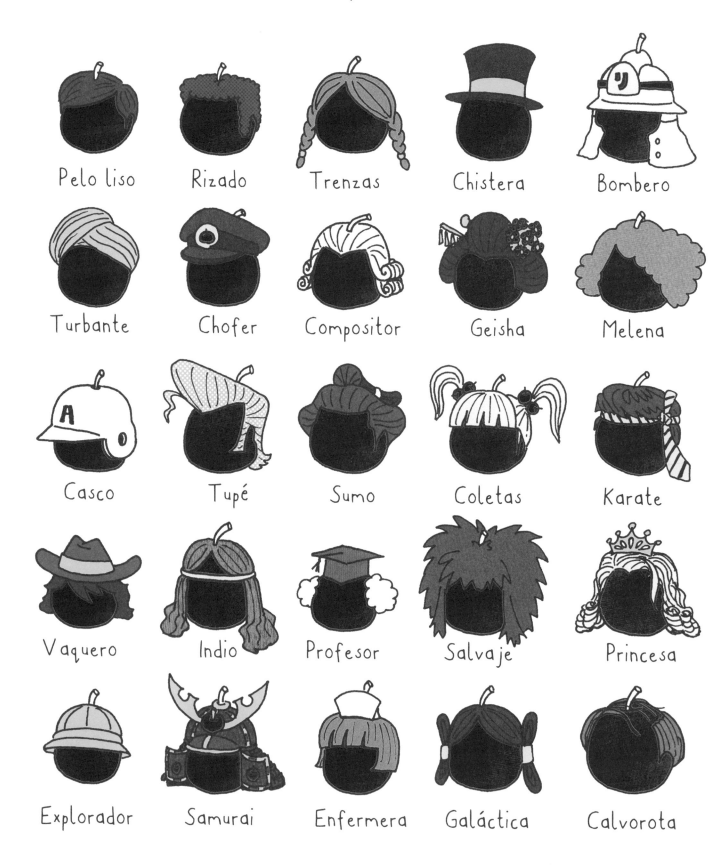

Pelo liso · Rizado · Trenzas · Chistera · Bombero

Turbante · Chofer · Compositor · Geisha · Melena

Casco · Tupé · Sumo · Coletas · Karate

Vaquero · Indio · Profesor · Salvaje · Princesa

Explorador · Samurai · Enfermera · Galáctica · Calvorota

Incluso podría ser algo insospechado.

Una jugosa pera   de color defectuoso.

Una pelota de béisbol   que no lo parece.

Un buzón de correos   diseñado por Newton.

Un avión ultrasónico   de lo más raro.

Quizá sea un meteorito que se ha estrellado contra la Tierra.

Zuuum

Pfffff

Y si lo miro de cerca, veré sobre la superficie...

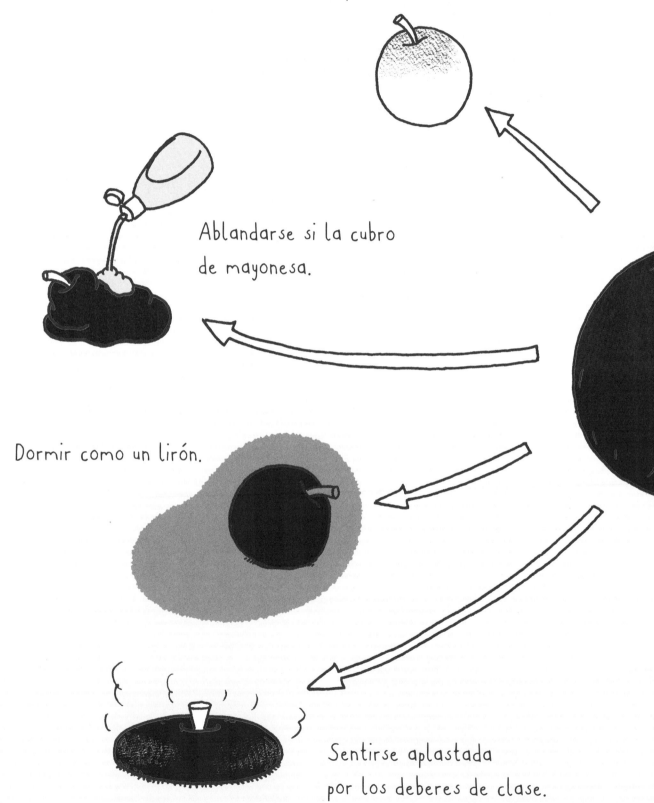

Podría tener sentimientos.

Empalidecer de tristeza.

Ablandarse si la cubro
de mayonesa.

Dormir como un lirón.

Sentirse aplastada
por los deberes de clase.

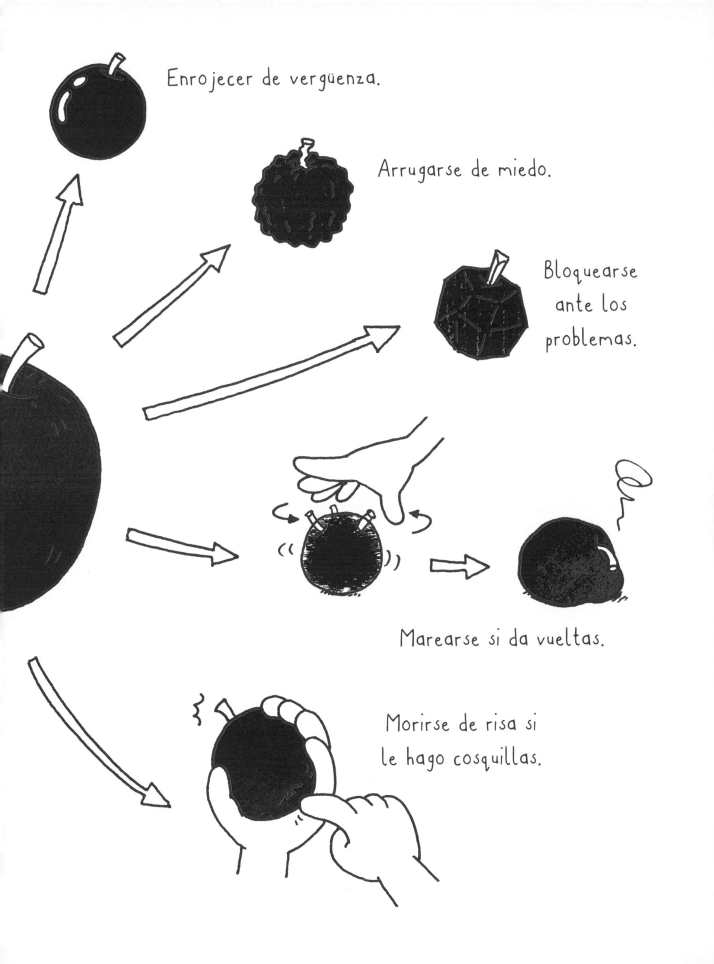

Enrojecer de vergüenza.

Arrugarse de miedo.

Bloquearse ante los problemas.

Marearse si da vueltas.

Morirse de risa si le hago cosquillas.

O quizá es una sabelotodo.

Quizá le gusto.

Podría tener hermanos y hermanas.

Rango

Ringo

Rungo

Rengo

Rongo

Podría tener montones de hermanos y hermanas.

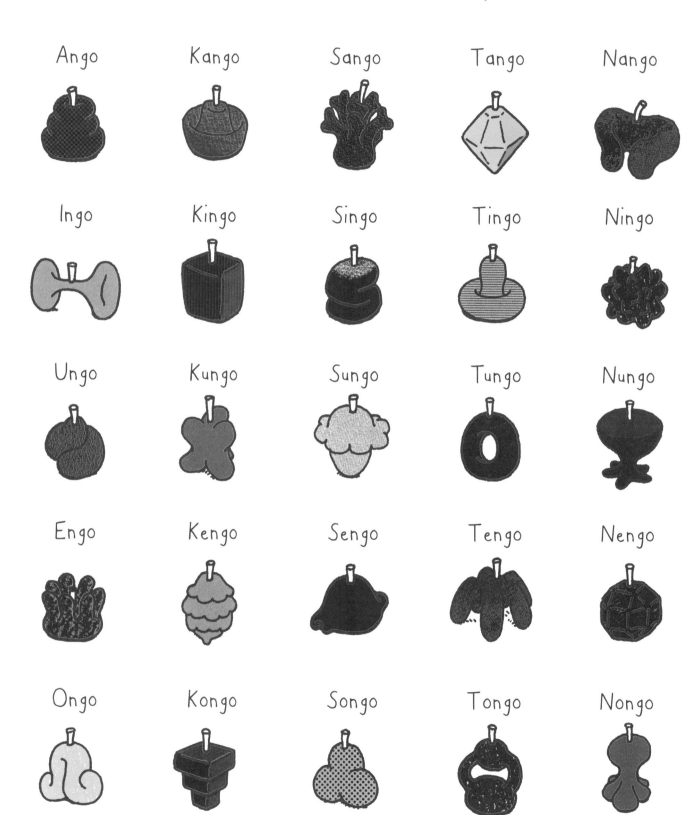

Ango   Kango   Sango   Tango   Nango

Ingo   Kingo   Singo   Tingo   Ningo

Ungo   Kungo   Sungo   Tungo   Nungo

Engo   Kengo   Sengo   Tengo   Nengo

Ongo   Kongo   Songo   Tongo   Nongo

Mango

Pango

Yango

Rango

Wango

Mingo

Pingo

Ringo

Mungo

Pungo

Yungo

Rungo

Wungo

Mengo

Pengo

Rengo

Mongo

Pongo

Yongo

Rongo

Wongo

¿Por qué está aquí, tan al borde?

Quizá mamá la haya comprado en el supermercado.

Tal vez sea un regalo de papá por el día de los enamorados.

O esté aquí por algo.

Eres uno de los nuestros.

Y si fuera mi tataratatarabuelo, que se ha reencarnado
en manzana y viene a hacerme una visita.

O una trampa de las potencias enemigas.

Quizá tuvo muchas vidas diferentes antes de llegar aquí. ¡Una manzana con mucho mundo!

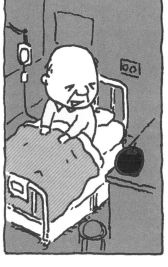

¿Y cuál será su futuro?

Podría reunirse con sus compañeras y regresar
a su lugar de origen.

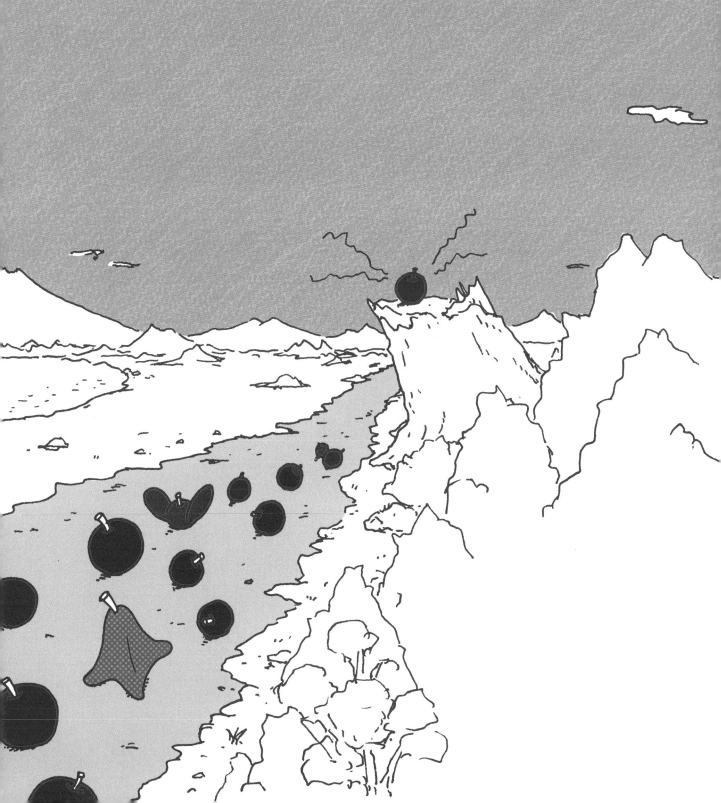

O quizá todos sean manzanas...

excepto yo.

Podrían crecerle brazos y piernas.

Podría parecerse a mí.

Podría hacer una bola conmigo.

Podría pintarme de rojo.

Podría ocupar mi
lugar y yo
el suyo.

 Después de todo, creo que lo mejor sería probarla.

Quizá

no sepa a nada.

Quizá

esté muy amarga.

Quizá

sea picante.

Quizá

esté muy dura.

Podría ser de goma pegajosa.

Podría salir volando como un globo.

Quizá, si la muerdo, me transforme en un gigante.

¡Crac!

¡Ñam, ñam, ñam!

¡Glup!

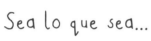

Sea lo que sea...

¡Está deliciosa!

Título original: *It Might Be an Apple*

© 2013, Shinsuke Yoshitake
Esta edición fue publicada originalmente en Tokio
por Bronze Publishing Inc. Los derechos de esta edición
fueron negociados a través de Bronze Publishing Inc.

© 2019, de esta edición: Libros del Zorro Rojo
Barcelona - Buenos Aires - Ciudad de México
www.librosdelzorrorojo.com

Dirección editorial: Fernando Diego García
Dirección de arte: Sebastián García Schnetzer
Traducción y edición: Estrella B. del Castillo
Corrección: Sara Díez Santidrián
Maquetación: Eugenia Salama

ISBN: 9 7 8 - 8 4 - 9 4 7 7 3 5 - 1 - 8
Depósito legal: B - 2 8 0 5 6 - 2 0 1 8

Primera edición: marzo de 2019

Impreso en Malasia